Mulheres na jornada do herói

Dados Internacionais de Catalogação na Publicação (CIP)
(Câmara Brasileira do Livro, SP, Brasil)

Del Picchia, Beatriz
Mulheres na jornada do herói : pequeno guia de viagem / Beatriz Del Picchia e Cristina Balieiro . — São Paulo : Ágora, 2012.

Bibliografia
ISBN 978-85-7183-096-7

1. Conduta de vida 2. Espiritualidade 3. Existencialismo 4. Mitologia 5. Mulheres – Entrevistas 6. Mulheres – Identidade 7. Mulheres e religião 8. Mulheres – Vida religiosa 9. Sagrado I. Balieiro, Cristina. II. Título

11-09883 CDD-615.85155

Índice para catálogo sistemático:
1. Mulheres : Trajetórias de vida : Espiritualidade : Religião 291

Mulheres na jornada do herói
Pequeno guia de viagem

Beatriz Del Picchia
Cristina Balieiro

EDITORA
ÁGORA

MULHERES NA JORNADA DO HERÓI
Pequeno guia de viagem

Diretora editorial: **Edith M. Elek**
Editora executiva: **Soraia Bini Cury**
Editora assistente: **Salete Del Guerra**
Projeto gráfico e diagramação: **Printmark Marketing Editorial**
Ilustrações de capa e miolo: **Cristina Balieiro**
Capa: **Beatriz Del Picchia**
Impressão: **Sumago Gráfica Editorial**

Editora Ágora
Departamento editorial
Rua Itapicuru, 613 – 7º andar
05006-000 – São Paulo – SP
Fone: (11) 3872-3322
Fax: (11) 3872-7476
http://www.editoraagora.com.br
e-mail: agora@editoraagora.com.br

Atendimento ao consumidor
Summus Editorial
Fone: (11) 3865-9890

Vendas por atacado
Fone: (11) 3873-8638
Fax: (11) 3873-7085
e-mail: vendas@summus.com.br

Impresso no Brasil

Sumário

1. Primeiro passo: abrindo o guia

Em 2010, nós lançamos um livro chamado *O feminino e o sagrado – Mulheres na jornada do herói*. Desde então, temos feito palestras para os mais diferentes públicos a respeito do livro e de seus temas principais. Ao final das palestras, geralmente abrimos um debate e trocamos ideias com a plateia. Também criamos um blog que expande esses temas (www.ofemininoeosagrado.blogspot.com).

Em virtude desse crescente contato com leitores, ouvintes, seguidores do blog e com pessoas que apenas se interessam pelo assunto, resolvemos escrever este livro, cujo subtítulo é *pequeno guia de viagem*.

Nem todo mundo tem tempo, dinheiro ou disposição para uma grande viagem. Tem gente que só pode sair nos fins de semana; existem aqueles que só gostam de visitar lugares perto de casa; e há os que precisam adiar as grandes viagens para outra época.

Então, esse guia é leve, portátil e pode ser carregado com facilidade em qualquer trilha ou acampamento. Não faz volume nem ocupa muito espaço. Pode conviver com o material de trabalho na gaveta do escritório ou ficar num cantinho da estante da quitinete. Pode ser transportado na bolsa junto com a agenda e o *pendrive*. Mas garantimos que ele tem tudo de que se precisa para uma boa *jornada*: mapas, informações, pequenas ilustrações.

Quando quiser se aprofundar, ou quando ficar com vontade de conhecer as maravilhosas histórias completas das entrevistadas, leia o grande manual, o primeiro livro. Enquanto isso, você pode ir caminhando com este, passo a passo.

Ou, se já leu o outro e agora precisa se restringir ao essencial, como um monge zen que só pode possuir aquilo que couber em sua mochila, este é o livro indicado.

Respire fundo e "desaperte o cinto de segurança", porque essa *jornada* não pode ser feita com rigidez ou ideias preconcebidas.

A viagem vai começar!

2. Arrumando a bagagem: que jornada é essa?

Entre 2006 e 2008, fizemos uma pesquisa com base em entrevistas realizadas com 15 mulheres contemporâneas que estavam, de alguma forma, ligadas ao sagrado.

É bom esclarecer que aqui a palavra *sagrado* não tem necessariamente uma conotação religiosa, mas indica algo que traz significado para a vida. Entre outras, entrevistamos uma médium, uma vereadora budista, uma mãe de santo, uma xamã, uma mestra de tai chi chuan, uma atriz e quatro psicoterapeutas. Seus nomes estão no final deste livro.

Escolhemos mulheres com quatro requisitos: que fossem originais e autênticas, apresentassem uma vida interior rica, tivessem 40 anos ou mais e contribuíssem para a comunidade de alguma forma significativa. Nessas entrevistas, nosso foco eram as histórias de vida das entrevistadas, porque queríamos sentir esses quatro requisitos, presentes não só em seus discursos, mas também em suas trajetórias.

Mas, justamente por causa dessa autenticidade, elas eram muito diferentes, com histórias de vida diversas e definições sobre o que é o sagrado também muito diferentes. Então, como "costurar" suas histórias? Qual seria a ligação entre elas?

Descobrimos que o elo que as unia era o tipo de caminho que percorreram. O elo era a própria trajetória! Todas, de alguma forma, romperam com as expectativas que a sociedade tinha delas, passaram por um longo processo de busca e transformação, acharam algo que dava à vida sentido e significado e voltaram, oferecendo esse tesouro às outras pessoas. Foi assim que percebemos que a *jornada do herói* não apenas se encaixava em cada relato como também os conectava.

A *jornada do herói* é o modelo delineado por Joseph Campbell, um grande mitólogo americano que, ao estudar inúmeros mitos de heróis de diferentes épocas e culturas, notou que existe uma sequência de acontecimentos comuns à maioria deles. Assim, ele estabeleceu esse modelo baseado em lendas de heróis mitológicos.

O que nós fizemos foi espelhá-lo nas histórias dessas mulheres, criando uma ponte entre a vida humana e o mito.

Na primeira parte do livro *O feminino e o sagrado*, explicamos cada uma das fases e etapas dessa sequência de acontecimentos que é a *jornada do herói*, e depois as exemplificamos com depoimentos das entrevistadas a respeito da própria vida. Na segunda parte, contamos a história completa de cada uma delas em suas próprias palavras. Na última parte, colocamos nossa experiência como autoras, finalizando a obra com um conto de fadas baseado nessa história real. O livro é todo ilustrado com desenhos da Cristina inspirados por esse trabalho.

Este pequeno livro é um apanhado apenas da primeira parte do outro. Traz falas das entrevistadas – e de outras pessoas – que fomos coletando durante esse tempo.

Ao lê-lo, pode ser que você perceba que também está em algum ponto da sua própria *jornada*, como aconteceu com uma leitora que nos disse:

> *Li o livro* O feminino e o sagrado *bem devagarinho. Primeiro porque não sou muito de ler, e*

segundo porque queria assimilar bem o conteúdo. Terminei agora, e estou ligando para dizer que me reconheci nele. Sabe, eu vivi aquelas etapas todas, só que não sabia dizer o nome delas! – ROSE

3. Traçando a rota: a mandala é o mapa

Para entender como funciona a *jornada*, dê uma olhada na mandala abaixo (feita pela Beatriz usando dois desenhos da Cristina), a mesma que aparece em cores na capa deste livro:

Como você pode ver, no centro está a heroína da *jornada*. E quem é ela? Alguém com dons ou poderes extraordinários? Não, aqui a heroína (ou o herói) é quem consegue cumprir a principal tarefa de cada um: descobrir e se tornar plenamente quem se é.

E com 24 anos eu fui para a Ásia... E esses oito meses na Ásia foram fantásticos para eu me encontrar como pessoa. Descobrir quem eu realmente era. – BETTINA

Essa não é uma tarefa simples, porque somos pressionados pela sociedade, pela família, pela propaganda, pelas contas que temos de pagar e por nossas divisões internas – medo, culpa, ambição, preconceitos – a nos encaixar nos modelos do sistema.

A viagem de primeiro descobrir e depois ousar ser quem somos é uma briga mesmo, e muitas vezes o preço a pagar é alto. Por isso, tem muita gente que nunca a faz. Mas vale a pena, porque é um processo que vai nos conduzindo a níveis de plenitude mais e mais intensos, ao máximo que podemos ser.

Pensei assim: "Agora acabou, não preciso mais corresponder a nada, não preciso mais justificar

> *nada. Posso usar roxo com amarelo. Posso fazer o que eu bem entender". Porque, no fundo, a vida fica fácil quando você é o que você é!* – MONIKA

Alguns chamam esse "eu" mais pleno de self, de si mesmo, de eu superior, conforme a interpretação que dão. Mas o que interessa aqui é saber que a heroína da *jornada* é uma figurinha muito próxima: nós mesmas!

E por que ser quem somos nos torna heróis? Porque a plenitude de si está invariavelmente a serviço da humanidade. A heroína e o herói sempre procuram compartilhar o dom e o talento que descobrem neles próprios.

> *Sempre foi muito claro que eu não queria que esse conhecimento ficasse só para mim. Eu sempre senti necessidade de dividir e compartilhar as danças circulares. Sempre desejei mostrar aos outros aquilo que encontrei.* – RENATA

Agora repare nas setas que estão em volta da mandala, indicando que ela gira no sentido anti-horário. Há dois tipos de tempo: o cronológico, o do relógio, comum, e *kairós*, que é um tempo especial, o tempo do mito, que gira no sentido oposto. Para que as coisas se combinem interna e externamente em nós, de forma integrada e harmônica, precisamos dos dois:

> *Eu estava exausta, tudo para mim era demais. [...] Eu tive que me retrair para me reenergizar, para poder me reengajar. – BETTINA*

> *Já pensei em ir para mosteiro, já pensei! Parar de falar por um tempo. De vez em quando vêm umas ideias... Mas não é que eu não goste de estar no mundo. Eu tenho vontade de estar no mundo e agir no mundo. Gosto de estar com meus amigos. Acho que é mais uma coisa de recolher e sair, recolher e sair... E, nesse recolhimento, minha alma se reconhece, minha alma fica feliz. – SANDRA*

Essa questão do tempo é, portanto, muito pessoal. Por exemplo, tem quem entre na *jornada* muito cedo:

> *Depois dos 16 anos, fiquei ao lado do meu pai de santo. Vivia, como vivo até hoje, para o candomblé. – SOLANGE*

E tem os que entram bem depois:

Eu estava com quase 40 anos. Tinha encerrado minha confecção e fiquei pensando no que poderia fazer. Foi um momento delicado, de busca interna. – RENATA

Não importa se tarde ou cedo, o importante é entrar. Como disse a Jerusha:

Quando eu tinha 20 anos, tive contato com o tai chi chuan, que é uma prática marcial chinesa, através do meu pai e do meu irmão, que estavam praticando no quintal de casa. Ver os dois fazendo os movimentos me calou fundo. Eu nunca tinha visto aquilo, mas olhei e disse: "Bom, vou junto".

Então, gente, agora vamos juntos!

4. Pé na estrada: fazendo a jornada

Repare no disco interno da mandala. Ele mostra que a *jornada* é composta de três fases, e que cada fase tem algumas etapas. Vamos agora passar por cada uma delas. Mas antes falemos do mundo cotidiano.

* Mundo cotidiano

Essa porção diferente à esquerda (na mandala da capa do livro, esse espaço é preenchido pela parte estampada) é o que chamamos mundo cotidiano: o mundo em que vivemos, as inúmeras coisas do dia a dia, os outros, as nossas circunstâncias.

É o lugar de onde saímos para fazer a viagem, para onde voltaremos no final e que está sempre nos rodeando, porque a *jornada* não é feita no mundo dos sonhos (ou pelo menos não só nele), mas no real aqui e agora.

> *Quando, às vezes, as pessoas perguntam minha religião, eu digo que é o trabalho... Eu percebo que transcendência não é um portal lá longe; transcendência é aqui, nas ações cotidianas.* – CIDA

* Ruptura

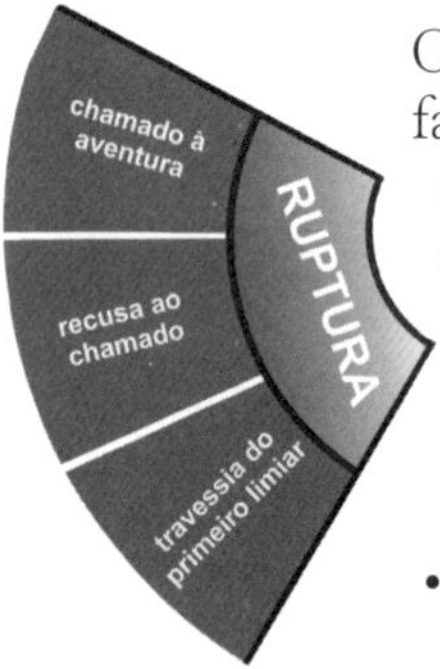

Começando a *jornada*, a primeira fase é a ruptura: a heroína se lança ou é lançada do mundo conhecido para o desconhecido, rompendo, de alguma forma, com sua vida como tinha sido até então. A ruptura apresenta três etapas:

- Chamado à aventura

- Recusa ao chamado
- Travessia do primeiro limiar

-> Chamado à aventura

Toda *jornada* começa com um chamado! Algo acontece dentro da gente, fora da gente ou dentro e fora ao mesmo tempo que rompe com nosso mundo conhecido.

Vivemos uma sensação de desconforto conosco e com a vida que estamos levando e percebemos que algo diferente tem de ser buscado, mesmo não sabendo ainda o quê.

Nossa base de segurança não funciona mais e nossas crenças e valores são totalmente remexidos. É como se as nossas antigas respostas não valessem mais, porque foram as perguntas que mudaram!

Por mais medo que o desconhecido traga, sentimos uma urgência do novo. É como se o destino nos convocasse a buscar um novo caminho. Por isso é um chamado à aventura.

O chamado pode vir das mais diferentes formas. Pode surgir, por exemplo, por intermédio de uma doença física, de um processo depressivo ou de uma doença da alma.

Aí eu tive depressão. No começo eu pensava que era cansaço, que talvez eu estivesse com anemia. Era uma falta de energia brutal, uma falta de ímpeto, uma falta de vitalidade. Eu achava que tinha uma causa física, que eu estava exausta. Duas filhas, tanto trabalho, tanta frustração, tanto problema... Mas chegou uma hora em que concluí que não podia ser só aquilo. Então, esse momento foi a ruptura total com qualquer coisa em que eu acreditara até ali. – SONIA

O chamado pode aparecer por meio de um fato traumático que faz você repensar toda a sua vida.

E, nesse momento, meu pai começa a morrer. Tinha câncer desde 1981, e sete anos depois começou o fim dele. Aquilo me pegou muito, porque eu vi um projeto de vida centrado no desenvolvimento profissional, na ambição econômica, no alcançar coisas, FURAR. [...] Com a morte dele e minhas indagações sobre a vida, fui buscar em outras religiões, que não a minha, uma resposta [...] Eu estava buscando um reforço de alma. – ANA

Pode vir através de um *insight*, quase como se fosse uma revelação.

Eu estava lendo Meus passos em busca da paz, *da Odete Lara, e de repente pensei: "Por que eu não posso pedir demissão, não trabalhar mais em empresa alguma, deixar de ser infeliz e buscar um trabalho que faça sentido para mim? Por que não?" Foi um momento quase mágico: aquela mudança que antes me parecia impossível passou a ser inevitável!* – CRISTINA

Pode acontecer como a necessidade imperiosa de tentar algo novo.

Eu sempre estive acompanhando o Antonio Nóbrega e, apesar de sempre aparecer o nome dele, a gente fazia juntos todos os espetáculos. Eu já tinha cantado, já tinha dançado, já tinha interpretado, já tinha feito tudo ao lado do Nóbrega. Não ia ter novo desafio: eu sabia o que ele faria nos espetáculos dele, sabia por onde caminhava a criação dele. Então, eu tinha de inventar uma coisa só minha. – ROSANE

Pode vir de uma sensação muito forte de insatisfação, sem causa aparente.

Nada mais tinha graça para mim, nada me motivava. Parecia que tudo que eu tinha feito e fazia eu não queria fazer mais. Era como se meu futuro fosse uma repetição eterna daquilo que eu estava vivendo e isso fosse completamente sem sentido para mim. Era isso que eu tinha perdido: o significado da vida. E era isso que eu precisava urgentemente buscar. – JÚLIA

Ou pode vir ao terminarmos um importante ciclo em nossa vida.

Meu caminho espiritual começou em 1989. Meus filhos já estavam crescidos e estava terminando um ciclo importante da minha vida, o meu casamento chegava ao fim. Eu tinha quase 40 anos, era aquela fase em que ou você muda ou você muda! Foi um momento delicado, de busca interna! Foi aí que aconteceu a minha grande virada, quando comecei a penetrar em outro mundo, a perceber que havia muitos outros níveis de realidade para compreender e nos quais me aventurar. – RENATA

É importante ressaltar que o chamado à aventura é uma convocação da vida para nos tornarmos nós mesmos, mais autênticos, e buscarmos aquilo que faz bem à nossa alma!

-> Recusa ao chamado

Responder a esse chamado, em geral, não é nada fácil! As dificuldades são inúmeras.

Frequentemente sabemos o que não queremos mais, mas não sabemos ainda o que queremos. Existe uma sensação de vazio: o velho não serve, mas o novo ainda não existe para substituí-lo. E, muitas vezes, também não sabemos nem como nem onde procurar esse "novo", o que gera insegurança.

> *É verdade que eu detestava tudo que fazia. Eu já tinha clareza quanto a isso. Mas o que colocar no lugar? Como viver e ganhar a minha vida? Como ocupar meu tempo? Tinha medo de ficar totalmente no escuro e por isso hesitava tanto em tomar uma decisão, em jogar tudo para o alto e sair em busca de descobrir o que de fato eu queria, quem de fato eu era.* – DÉBORA

Outra dificuldade pode ser lidar com o apego às escolhas, ao passado. Mesmo que estejamos vivendo uma vida pouco satisfatória, muitas vezes nos apegamos à identidade que ela nos traz e sentimos grande dificuldade de abandoná-la.

Eu pensava: "Se eu sair desse casamento, não sei bem o que será de mim. Sou há tantos anos uma mulher casada que nem sei quem serei se me vir como uma mulher só". Na verdade, eu percebia que estava mais só do que nunca e já nem sabia quem eu era. Mas eu tinha colocado tanta energia e tanto tempo naquela vida que tinha muito medo de abrir mão de tudo para descobrir o que me faria bem, o que eu queria da vida, qual era o sentido de tudo para mim.
– ROSA

Outras vezes, descobrimos em nós um dom ou uma vocação de que não gostamos, de que temos medo, e da qual queremos fugir.

Eu não queria saber dessa mediunidade de jeito nenhum. Tive muita dificuldade de lidar com isso. Eu era muito católica, sou até hoje, imagi-

ne como foi difícil lidar com esses fenômenos em mim, com essa paranormalidade, com o espiritismo. E aí eu custei muito, relutei muito para trabalhar com esse lado espiritual na minha vida. – REGINA

Além disso, na sociedade em que vivemos, com modelos do que é certo, do que é sucesso, bem estabelecidos, fica muito difícil responder a um chamado para sermos nós mesmos, especialmente se isso implica mudanças mais radicais. Na maior parte das vezes, não recebemos estímulo da família, dos amigos ou de conhecidos. Ao contrário, de forma ampla, as outras pessoas tendem a nos pedir cautela, a dizer que essa insatisfação um dia passa, a aumentar nosso medo e nossa insegurança.

O pessoal à minha volta dizia que eu estava louca! Como ia abandonar aquele emprego, aquele cargo, aquele salário para fazer o que eu ainda não sabia? Ninguém reparava em quanto eu era infeliz! O preço emocional que eu pagava não era considerado. Na verdade, não tive estímulo de ninguém para fazer o que eu sentia como vital para a sobrevivência da minha vontade de viver! – IVETE

Por todas essas dificuldades, é muito comum passarmos pela etapa de recusar nosso chamado. A gente finge não percebê-lo, minimiza sua força, desvia nossa energia para outros interesses, encontrando desculpas, ainda que verdadeiras, para não seguir a convocação.

Mas, se podemos adiar a reposta a esse chamado, recusá-lo definitivamente implica aceitar que sejamos menores do que poderíamos ser. Vivemos abaixo do nosso potencial, não nos tornamos quem deveríamos ser. E perdemos a possibilidade de experimentar a plenitude e de achar um sentido para a vida.

-> Travessia do primeiro limiar

A travessia do primeiro limiar é uma etapa de ação. Já aceitamos a inevitabilidade da mudança e partimos, então, em busca de respostas e/ou soluções para as questões que o chamado nos colocou.

Essa busca pode ser feita de inúmeras maneiras: através de pessoas, cursos, terapias, religiões, oráculos, peregrinações, lugares, livros, tradições ou quaisquer outras experiências. O importante é que a pessoa procure o novo, aquilo que ela ainda não conhece, ainda não viveu, ainda não experimentou. E, ao mesmo tempo, esteja ligado aos temas que o chamado trouxe.

Pode-se fazer a travessia durante uma viagem vivida como peregrinação.

> *E com 24 anos eu fui para a Ásia. Foram oito meses viajando sozinha, de mochila, sem conhecer ninguém. Foi uma época de me voltar bastante para dentro e perceber os meus recursos, me conhecer realmente. Lá eu queria descobrir minha identidade verdadeira. Quem eu realmente sou? Independentemente das nacionalidades, do contexto no qual eu vivo, quem eu sou? No que acredito?* – BETTINA

Ou num momento crucial de um processo terapêutico.

Eu estava justamente trabalhando a morte da minha mãe e a minha resignação diante disso. Aí rompeu uma camada e a única coisa que eu podia fazer era chorar. Eu tinha me dado conta de que sempre me fizera de forte, e então disse: "Desta vez eu não vou suportar, desta vez eu vou sentar e chorar, vou ficar aqui, entendeu? Se quiser vamos juntos sentar no chão e chorar a noite inteira, não tem problema nenhum, mas não vai dar para ser forte desta vez". Fiz isso com consciência, foi uma opção consciente. E foi uma libertação, sem dúvida! – MONIKA

A travessia do primeiro limiar também pode surgir de uma grande mudança no cotidiano.

Para começar "minha nova vida", passei uma semana na Comunidade de Nazaré. Éramos poucas pessoas; umas oito, e o lugar é enorme. Lá eles têm um ritmo diário de atividades simples, bem marcado, e quase não se fala. Aliás, se você quiser, basta avisar que ninguém fala com você. É tudo lento, silencioso: a vida quase parece estar em câmara lenta. Depois de anos vivendo num ritmo frenético, trabalhando muito num lugar lotado de pessoas, em interação o tempo todo, eu precisava desse choque para me desintoxicar e ver o que eu ia fazer da minha vida. – CRISTINA

A travessia pode ser feita também através do contato com alguém que traz o novo.

Minha inserção nesse universo da espiritualidade, na verdade o meu batismo, foi com o Hernani Guimarães Andrade. Trabalhando com ele, adentrei nesse mundo, digamos assim, paranormal. Foi uma coisa que me despertou e na verdade despertou coisas que já estavam em mim mas das quais eu absolutamente não tinha consciência. Basicamente esse foi meu começo. – ANDRÉE

Outras optam por uma travessia mais radical.

Passei então três anos em retiro em casa: fazia práticas de ioga dos sonhos, passava dias – às vezes dez – em estado de transe, imóvel, em jejum, fazendo práticas do caminho interno. Ficava por tempos só andando no escuro.

Estudei bastante também: comecei a estudar astrologia, astronomia, ciências oraculares. Sabia o I Ching *quase de cor. Eu lia e meditava; não saía de casa. Meu único trabalho era fazer respirações, meditações, ioga e estudar.* – MONICA

A travessia pode ser feita também ao se terminar um relacionamento.

Então, finalmente eu tomei a decisão: me separei! Aluguei um pequeno apartamento e fui de novo reaprender a ser uma mulher solteira. Muitas vezes me senti completamente só e chorei várias noites até dormir. Foi um encontro profundo comigo mesma. E assim, pouco a pouco, fui aprendendo a construir minha nova vida. – ROSA

Enfim, são tantas as possibilidades de travessia que não se consegue enumerá-las. O importante é ter a atitude necessária para viver essa etapa: aceitar o risco de agir e procurar sem ter certeza de nada. É ousar viver novas experiências e novas facetas de si mesma, antes desconhecidas. É permitir-se ver que as opções de vida são muito maiores do que se pensava.

* Iniciação

A segunda fase é a iniciação, na qual um velho Eu tem de morrer para que um novo Eu, mais maduro e mais verdadeiro, nasça. Essa fase é composta de cinco etapas:

- Encontro com o mestre
- Aprendizado
- Travessia de novos limiares
- Situação-limite
- *Bliss*

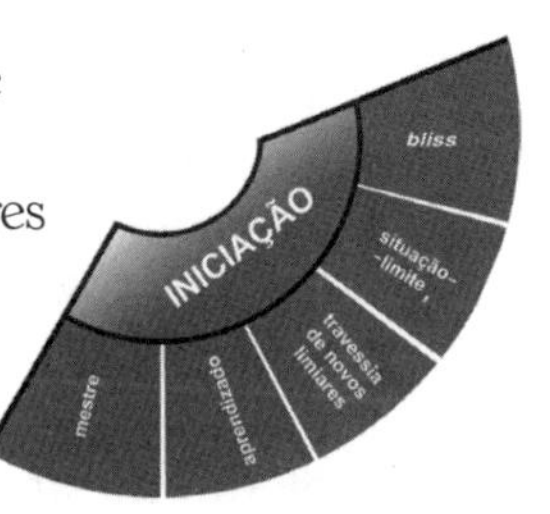

-> Encontro com o mestre

Ao longo de nossa *jornada*, podemos encontrar um mestre. Muito mais que um professor, ele é um mentor, um guia especial para aqueles que cruzam seu caminho. Normalmente é uma pessoa mais velha, que fez a própria *jornada* e por meio dela chegou a um nível superior de sabedoria.

O mestre é uma espécie de modelo, alguém que aponta caminhos e nos motiva a seguir o nosso.

Nessa minha caminhada, minha tia Lourdes foi fundamental: ela era um modelo para mim. Diferentemente das outras mulheres da minha família, ela não tinha medo, era livre! Sempre pautou a vida por aquilo em que acreditava! Pagou um preço por isso, claro, mas foi muito corajosa. Foi ela quem sempre me emprestou os livros certos na hora certa, quem me orientou quando eu fiquei confusa, me estimulou a continuar! Era a ela que eu recorria quando precisava de conselhos ou de encorajamento. – MARIANA

Se um mestre é mais que um professor, um professor também pode se tornar um mestre.

A influência do professor Paulo foi essencial na minha vida! Foi com ele que aprendi a ética na minha profissão e na vida! Foi através dele também que descobri que fazer o que faço é a minha vocação, mais ainda, é aquilo que vim fazer nesta vida. Para mim, ele foi mais que um professor, foi um mestre! – SUZANA

Mas os mestres não precisam ter alto grau de instrução. Podem ser pessoas simples, mas que conseguiram extrair sabedoria da vida.

Tive mestres na minha jornada, mas os meus não foram gurus nem nada exótico, mas sim pessoas extremamente simples, camponeses que trabalhavam na minha fazenda. Conheci gente que nem sabia ler, mas com tanta sabedoria! Eles me apoiaram e me compreenderam mais do que pessoas instruídas e os doutores. – ROSE

O encontro com um mestre pode provocar grande impacto na pessoa, especialmente se esse mestre for também um guia espiritual.

O primeiro mestre budista com que tive contato foi a lama Tsering. Delegar o papel de mestre a alguém e devotar-lhe confiança irrestrita era

algo que eu não tinha experimentado. Chegar à conclusão de que determinada pessoa merecia aquela confiança irrestrita, por tudo que ela demonstrava no modo como vivia a própria vida, era novo para mim. Mas ela me "tocou", pois chegou ao ponto de responder à pergunta mais absurda de todas: qual é o sentido da vida. – SONIA

Não é todo mundo que encontra um mestre em sua *jornada*, mas existem pessoas que encontram mais de um. E cada um deles traz uma influência diferente.

Eu conheci o Luiz lá atrás, quando ele não era o Gasparetto. Tenho no Luiz um espelho! Ele é um amigo, ele foi orientador, ele foi meio terapeuta. Também muito importante pra mim foi o professor Eliezer Cerqueira. Ele não tinha o discurso, era só emoção, sabia mexer com a emoção da gente muito intensamente. Então, se com o Luiz eu aprendi a me imbuir da coragem do intelecto, com Eliezer eu aprendi a me permitir sentir as coisas. E aí consegui juntar as duas asas, a do saber e a do sentir. – CIDA

O encontro com um mestre pode modificar toda a vida da pessoa.

Encontrei mestre Pai Lin, que tinha acabado de chegar da China, e a identificação foi total. Ele respondeu a todas as perguntas: sobre Deus, sobre quem eu era, tudo. Às vezes ele nem precisava falar; só de olhar ele já me orientava. Eu o acompanhava de segunda a segunda, e fiquei 23 anos com ele, até sua morte. A parte mais produtiva da vida eu fiquei aparentemente só servindo a ele, mas, na verdade, tive uma verdadeira formação, uma orientação de vida. O mestre era meu pai espiritual. – JERUSHA

-> Aprendizado

Encontrando ou não um mestre, há muito que aprender ao longo de uma *jornada*. É necessário adquirir novos conhecimentos e desaprender antigos para entrar nesse novo mundo. O que já sabemos não esclarece o que estamos experimentando!

A pessoa começa a aprender em cima da questão: "O que está acontecendo comigo?" É na busca da resposta para essa pergunta que transcorre essa etapa.

Frei Albino Aresi me deu alguns de seus livros e disse: "Você tem futuro nessa questão da paranormalidade. É bom que você trabalhe com isso e desenvolva. Então, tudo que você puder ler a respeito, leia e estude". Assim, eu estudava sozinha em casa e comecei a ter uma percepção mais desenvolvida, já aceitando mais, já entendendo mais. Na verdade fui buscar o conhecimento justamente para poder entender o que acontecia comigo. – REGINA

O aprendizado deve ser buscado ativamente. Pode acontecer de inúmeras formas e vir das fontes mais diversas.

Eu estudava astrologia tradicional e paralelamente Alice Bailey. Estudamos durantes anos seu livro Tratado sobre magia branca, *que nada mais é do que magia da alma. Acho que essa coisa de grupo, de estudar e meditar junto, foi muito importante para mim, para me dar uma base espiritual que depois me permitiu trabalhar com os grupos que viriam com a dança. De qualquer forma, aprendi a trabalhar com os grupos trabalhando, mas esses anos de estudo foram importantíssimos.* – RENATA

Muitas vezes, antes de aprender o novo, precisamos desaprender o antigo, rever crenças que nos travam na caminhada.

Acho que o mais difícil foi quebrar uma das minhas crenças mais arraigadas, que era acreditar que numa boa relação não deveria haver conflito nenhum, que não se devia discutir nunca, que se fosse para dizer algo desagradável era melhor se calar. Foi muito difícil admitir que isso, na verdade, só me distanciava das pessoas e de mim mesma. Perceber que essa forma de ver a vida era errada e que eu precisava mudar meu comportamento foi fundamental para seguir adiante! – ALICE

E esse aprendizado não pode ser só intelectual: precisa passar pela experiência, tem de acontecer vivencialmente, já que a *jornada* implica uma transformação pessoal.

> *Apesar de não ser psicóloga, já tinha lido vários livros do Jung e de seus discípulos. Tinha também frequentado alguns cursos e palestras na Sociedade Junguiana. A teoria dele me fascinava e fazia muito sentido para mim. Mas só quando comecei a fazer terapia com um junguiano é que passei a experimentar em mim o que lia nos livros, e aquilo foi realmente o que me transformou.* – NEUSA

E, como qualquer aprendizado vital, exige tempo e muita dedicação.

> *Para educar a emoção dos outros, eu precisava do apoio da psicologia. Sou pedagoga e fui fazendo todos os cursos de psicologia que podia. Estudei com professores nas suas clínicas, fiz grupos de estudo, li muito. Também precisava entender um pouco do sistema muscular e do sistema neurológico: fui fazer uma pós-graduação em neurologia. Como eu não tinha nenhuma base, não entendia nada do que o professor falava.*

Pedi licença, gravei todas as aulas, comprei um dicionário médico e em casa transcrevia as aulas e procurava os termos como quem procura outra língua. – CIDA

Nessa etapa da *jornada*, é a curiosidade de aprender e conhecer o que não se sabe que move a pessoa. É preciso, além disso, estar aberto e excluir ideias preconcebidas ou preconceitos. Também pode nos exigir disciplina, esforço, tenacidade e paciência para aprender o que precisa ser aprendido.

Vale ressaltar que estar em constante aprendizagem é estar plenamente vivo. É claro que aprender é uma tarefa que nunca acaba para os que são "buscadores". O que caracteriza essa etapa da *jornada*, precisamente, é que a pessoa está aprendendo a lidar com as questões que o chamado lhe trouxe, e por isso esse aprendizado faz parte da sua iniciação.

-> Travessia de novos limiares

A *jornada* continua e novos limiares são atravessados. Já não mais uma iniciante, a pessoa se permite buscar patamares mais altos, ainda não trilhados, e aprofundar sua busca. Mais acostumada com o caminho, ousa mais, se arrisca mais!

> *Quando iniciei minha formação na dança de Isadora Duncan, a primeira viagem foi para Nova York. Mas logo depois o curso passou a ser dado no Caribe, numa ilha chamada Saint John. Lá conheci mulheres que tinham um conhecimento muito vivo da tradição dos índios norte-americanos, e com elas aprendi rituais junto à natureza, em locais sagrados. Não consigo separar o ensinamento da dança do aprendizado obtido com essas mulheres e do meu convívio nessa ilha. Ilha onde amei e desamei; namorei um cara que morreu, e isso foi uma experiência muito forte! Mesmo só a dança, só os ritos e só a natureza já me davam respostas, era completamente alma. Eu já não precisava mais perguntar.* – ANA

A pessoa pode mergulhar ainda mais fundo no caminho que está trilhando.

Estudando a magia da alma, achei que nada seria melhor do que ir à comunidade de Findhorn, na Escócia, local conhecido por trabalhar o sagrado no dia a dia. E, em 1992, fui e participei da Semana de Experiência, programa em que entramos em contato com o ritmo da comunidade, com meditações diárias, palestras e passeios por uma natureza bem diferente da brasileira. Foi nessa semana, numa bela tarde de outono, que encontrei as danças circulares sagradas! – RENATA

Talvez seja preciso fazer uma mudança de rumo para que a transformação necessária aconteça, pois o que se vinha fazendo antes acabou se esgotando.

Depois que comecei a ler os livros do Castañeda, não queria mais ficar dentro da instituição da União do Vegetal porque ela soava doutrinária e rígida. Fiz um trabalho com uma terapeuta mexicana que me impactou muito. Ela usava as plantas de poder em contexto de psicoterapia. Na hora em que tive aquela experiência, pensei: "Vou seguir essa mulher, eu como paciente e ela como terapeuta, eu como discípula e ela como mestra. Vou seguir essa mulher e vou para o México". – SANDRA

Ou pode, para atravessar novos limiares, isolar-se a fim de reconectar-se com sua essência.

Eu tive de ir sozinha para o Matutu! Estar completamente só, sem filhos, sem marido, amigos, pacientes, gatos, internet, telefone. Só eu, Deus, a paineira, a natureza! Foram quase 30 dias, eu na pousada, quase sem outros hóspedes, sem ninguém como companhia a não ser o Simba, o pastor alemão de lá que me "adotou"! Foram dias muitos ricos, nos quais percebi, talvez pela primeira vez, que estava plena, naquele momento eu não precisava de NADA! Tudo estava perfeito! Isso me mudou muito, mesmo não tendo percebido logo a dimensão disso! – CASSIA

A pessoa pode se comprometer ainda mais com sua mudança e com sua busca!

Como morava sozinha, não tinha ninguém que dependesse de mim e possuía algumas economias, resolvi parar com tudo e entrar totalmente naquele meu processo de transformação. Continuava a terapia, fazia meditação, andava muito pelos parques da cidade, lia e estudava muito! Fazia minha comida, bem frugal, dormia e acordava cedo, falava com poucas pessoas. Foi um mergulho para dentro. Foi um tempo muito valioso. – ISABEL

Esse compromisso pode se tornar tão forte que muda toda a vida da pessoa.

Eu sempre dizia que voltaria para Findhorn em algum momento, para passar um tempo mais longo. E, depois de uns sete anos aqui no Brasil, senti que, na verdade, eu não tinha plantado as raízes como queria. Resolvi voltar para Findhorn para passar quatro meses lá, e depois ir morar com meu namorado nos Estados Unidos. Só que, no momento em que cheguei lá, já no primeiro dia, achei que não ia mais para outro lugar. Mas pensei: "Calma, o entusiasmo é passageiro, vai passar!" E o tempo foi passando e o entusiasmo não passou. Aí meu namorado disse: "Escuta, se você quer ficar aqui, vamos terminar o relacionamento". A gente terminou mesmo, e eu fiquei em Findhorn... e isso já faz 14 anos! – BETTINA

–> Situação-limite

Embora a *jornada* seja uma aventura que traz novo sentido à vida, vivê-la quase nunca é fácil! Há um momento na *jornada* em que as dificuldades se intensificam demais: é a situação-limite. Nela, a pessoa tem de se render, fazer algum sacrifício ou passar por uma provação para que a transformação necessária de fato ocorra. É como se fosse um momento "divisor de águas": antes era assim, agora é outra coisa.

Muitas vezes, o sacrifício pedido é o da própria vida conhecida até então.

Casei, depois separei, fui novamente viver com meus pais. Fiquei um bom tempo com eles. Minha mãe me ajudou muito, inclusive no cuidado com meus filhos, que ainda eram pequenos. Isso foi muito importante para que eu pudesse acompanhar meu mestre. Esse foi um dos motivos da separação: meu marido não aceitava minha independência, a necessidade de certa liberdade. E eu teria de optar por um dos dois caminhos, o casamento ou o caminho que eu já tinha traçado, o meu caminho. Então, optei pelo meu caminho. – JERUSHA

Às vezes, é preciso a rendição a um poder maior que a própria pessoa.

Foi a primeira vez que comecei a atender as pessoas para consulta espiritual. E eu lembro que sentei, tinha uma imagem de Jesus, rezei e disse que me entregava nas mãos dele, porque eu não sabia o que ia fazer. Eu disse: "Estou aqui me entregando para servir a você como você quiser". E não tive mais medo, não tive receio, me entreguei mesmo naquele momento para servir a Deus. – REGINA

Ou pode ser vivido como um rito de passagem.

Fui para o retiro e penei tanto, é como se tivesse entrado no exército. Fazia muito frio, chovia, era tudo enlameado, o templo ainda não estava completamente pronto. As sessões de meditação eram muito longas. Eu achava que ia enlouquecer, que não ia aguentar! Mas as pessoas faziam perguntas ao rinpoche durante o retiro e ele explicava, e eu achava a explicação tão clara, tão pertinente: entendia! Mas fui embora exausta. Porém, as coisas foram sedimentando e depois fiz, nas quatro semanas seguintes, uma série de palestras com a lama. E nessas palestras eu chorava, chorava de um jeito que eu não sabia por quê. Não estava triste, estava comovida, de chorar, de soluçar. E saía de lá leve, leve, com compaixão espontânea por todos os seres. – SONIA

Passar por essa etapa é ter um encontro simbólico com a morte e com o eterno ciclo de nascimento/morte/renascimento. É a aquiescência em ser morto na sua forma atual e/ou em deixar morrer sua visão de mundo para que o novo aconteça.

O caminho interno é solitário, é similar ao caminho da morte. Acompanhei as etapas desse meu retiro usando o Bardo Thodol, *o* Livro tibetano dos mortos, *o que me dava tranquilidade de saber o que estava fazendo. Esse é um processo arriscadíssimo, é muito sério. É só porque o chamado vinha da voz da alma que tive coragem de fazer. Durante o retiro tive medo, claro, porque é um caminho muito, muito só: é quando você está abrindo mão de tudo e não sabe exatamente a que se apegar. Dá medo da loucura. Tem um certo "se perder para se encontrar", e esse se perder é assustador.* – MONICA

Pode ser necessária a aceitação de si mesmo.

Naquele dia meu terapeuta me disse: "Não adianta, você não é igual à maioria das pessoas, vai ter de aceitar isso!" Eu lembro bem, voltei sozinha para Ubatuba de ônibus (tinha ido a São Paulo só para a sessão terapêutica) com aquelas palavras martelando na cabeça. Cheguei, quase não falei com ninguém e fui sozinha para a praia. Sentei de frente para o mar e chorei durante três horas! Chorei a dor de me sentir diferente, de nunca ter conseguido me adaptar, de não ser a mulher que minha mãe queria que eu fosse etc. Mas, depois disso, me levantei, sacudi a areia e nunca mais, até hoje, quis ser alguém diferente de quem sou! – CRISTINA

Ou a aceitação do "destino", da vida que nos coube viver!

Então, tudo que era problema com meus filhos – do menino que não falava direito, da menina que não tinha peso, do menino que acordou médium – era extremamente desafiador, fortemente estimulador. Entendo assim: se você não tem nada para correr atrás, vai ficar quieto, vai ficar no seu marasmo. Já se a vida lhe solicita, acho que Deus não é sádico. Se ele lhe dá alguma coisa é porque você tem condição de fazer. Se ELE deu crianças que precisavam de ajuda é porque decerto achou que dava para eu dar conta do recado. E se ELE acreditou em mim e nas crianças, quem sou eu para desacreditar?
– CIDA

-> Bliss

E, finalmente, a pessoa em *jornada* alcança sua *bliss*. Não existe uma palavra em português que possa traduzir esse termo com exatidão. A *bliss* é um conceito complexo, composto de inúmeras facetas! Podemos nos aproximar melhor de seu significado se pensarmos em imagens, em metáforas: a *bliss* é o tesouro que encontramos ao fazer a *jornada*, é o pote de ouro no final do arco-íris, é nosso Santo Graal.

É aquilo que nos faz sentir que finalmente encontramos o que buscávamos a vida toda e não sabíamos bem o que era! É como se achássemos a nossa forma de expressão no mundo!

> *Reconheci essa identificação com a dança na primeira vez que dancei uma dança circular sagrada. Senti: "O que é isso? Eu quero isso, que coisa incrível!" Foi o encontro da alma mesmo, quando você encontra aquilo que procurou a vida inteira. Eu podia expressar tudo aquilo que tinha estudado: astrologia, mitologia, um monte de coisas sobre as quais eu não queria só falar. Com a dança, eu*

tinha descoberto a maneira de me expressar.
– RENATA

É aquilo que a gente sente que nasceu para fazer, como se estivéssemos "em casa". E isso pode trazer uma dimensão de êxtase: a experiência de expansão das fronteiras e/ou de dissolução de limites.

Eu nasci para a coisa. O palco é a minha casa. Onde eu me sinto melhor é em cima do palco. Queria ir para a praia com o palco embaixo do braço. Todo mundo diz que eu fico bonita quando estou no palco! Lá é adrenalina pura, é sair disso aqui, do mundinho, do físico: é a possibilidade da transcendência!
– ROSANE

Não se confunde com felicidade, pois pode ser difícil vivê-la, mas traz significado à vida.

Tive um aluno no curso de Mito e Cinema que, independentemente dos personagens ou do filme que estávamos enfocando, apresentava sempre a mesma questão: a de que as mulheres não fa-

> *ziam nada, não trabalhavam, não ganhavam dinheiro. Isso me incomodava muito, até que eu compreendi que aquele garoto estava falando do mundo numa perspectiva econômica e eu estava falando de arquétipo. Ele estava falando "economês" e eu estava falando "mitologuês". Ele estava lá, eu estava cá! Eu tinha saído para o campo do mito, tinha ido para outro lugar, não melhor, outro! E hoje vejo que essa é uma opção difícil, mas ela explica minha vida inteiramente!* – ANA

Pode trazer a dimensão de uma vocação com V maiúsculo ou até de missão.

> *Sei que nasci para ser médica. Quis ser médica desde que me entendo por gente – e olha que não tem nenhum médico na família. É quando exerço a medicina que me sinto mais plena. Adoro fazer partos! Quando eu era adolescente, não gostava das minhas mãos: achava-as pequenas e meio gordinhas. Hoje acho minhas mãos perfeitas: são do tamanho exato para manipular, puxar, envolver e acolher a cabecinha de um recém-nascido!* – FÁTIMA

A *bliss* é profundamente mobilizadora e abrange a pessoa em sua totalidade, podendo ficar amalgamada à própria identidade.

> *Na psicossíntese se inclui tudo, nada é jogado fora se aquilo faz sentido. Essa inclusão da psicossíntese me ensinou a fazer o mesmo na minha vida. Sou judia de nascimento, mas o que o budismo diz faz sentido para mim, muita coisa do espiritismo e do catolicismo também. Então, não me sinto judia, não me sinto católica, não me sinto budista, eu me sinto aquilo de bom que peguei de tudo e me forma, me compõe, como uma psicossíntese de mim mesma.* – ANDRÉE

Quando se está vivendo a *bliss*, parece não existir separação entre a pessoa e seu trabalho, entre o dever e o prazer.

> *Meu caminho como pessoa passou pelo caminho da profissional. Eu diria que, para procurar a Neiva pessoa, a Neiva profissional me ajudou. Sabe quando parece que você morreu e não tem história? A minha depressão era assim: era como se eu tivesse morrido e não tivesse história. Eu não*

me lembrava de nada de mim. Então, comecei a atender e a ouvir as histórias das pessoas. Cada história de cliente foi acordando dentro de mim a minha história. É como se, através da história deles, eu fosse recuperando a minha. O tempo todo o que mais trabalhei foi realmente me tornar uma curadora, de mim e dos outros. – NEIVA

A *bliss* pode estar ligada a viver certo tipo de vida.

O que viver em Findhorn significa para mim é difícil de explicar: é a questão da internacionalidade, é a questão das pessoas preocupadas com o bem-estar do planeta, é a coisa ecológica. É um contraponto ao que vejo no mundo, que está cada vez mais individualista, consumista, egoísta. É também muito importante o fato de termos diversas culturas, diversas nacionalidades. Isso é uma necessidade minha muito profunda, muito básica. E o fato de cada um lá estar buscando algo em termos de espiritualidade, acreditando em algo maior do que si, que ao mesmo tempo é diverso e não é definido. Não existe certo e errado, mas existe um que-

rer servir ao outro e servir ao planeta, buscar sempre o bem maior. – BETTINA

Mas nem sempre é fácil descobrir nossa *bliss*, especialmente se não existe uma expressão na cultura com que nos identifiquemos, como um tipo de arte, um local, um grupo ou uma profissão. Temos então de procurar as características ou certas qualidades, nas coisas que fazemos, que nos tragam essa sensação de plenitude e vitalidade.

O que me traz a sensação de plenitude, de não precisar de mais nada, é fazer um trabalho criativo e algo que ainda não sei como fazer, quando experimento facetas minhas que ainda não conheço. A surpresa com as descobertas sobre mim e sobre como fazer e o que criar me estimulam profundamente, e então me sinto viva! Preciso fazer sempre algo assim para sentir que minha vida faz sentido! – CRISTINA

Viver a *bliss* pode se tornar a vida da pessoa.

Depois dos 16 anos eu vivia, como vivo até hoje, para o candomblé. E fui muito discrimi-

nada pela minha família, porque o preconceito contra o candomblé era uma coisa terrível. Mas fui com tudo. Pai Agenor me disse que eu era uma abiaché, que é a pessoa que já nasce com o santo. Ele me disse que nós dois já nascemos determinados para o santo, já fomos zeladores de orixás em outra vida. Estou nisso há quase 40 anos. Ser zeladora é uma dedicação total de vida. O resto fica no plano B. – SOLANGE

Citando Campbell, "*bliss* é aquela sensação profunda de estar presente, de fazer o que você decididamente deve fazer para ser você mesmo. Se você conseguir se ater a isso, já estará no limiar do transcendente".

* Retorno

A terceira fase da *jornada* é o retorno: a heroína deve voltar para seu antigo lugar, para a vida da qual partiu, porém transformada e trazendo ao mundo tudo que descobriu e aprendeu. São três etapas:

- Caminho de volta
- Ressignificado
- Dádiva ao mundo

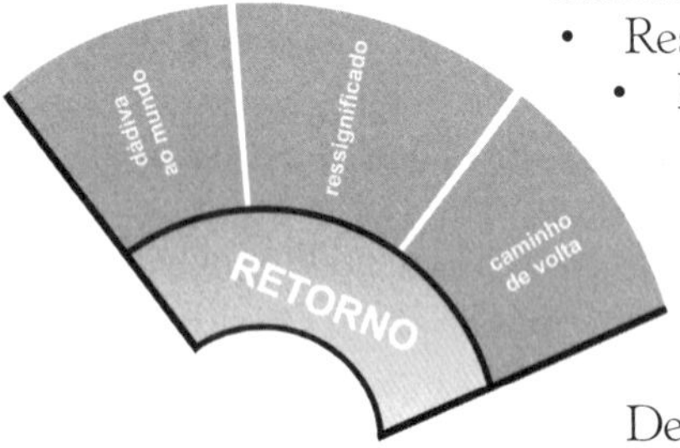

-> Caminho de volta

O caminho de volta nunca é fácil! Depois do êxtase do encontro com a *bliss*, há que se reaprender a viver a vida cotidiana, porém preservando toda a transformação pessoal que a *jornada* trouxe. É necessário reconstruir a vida, e esse processo pode ser bem difícil, trabalhoso e demorado.

Há o risco de viver um período de extrema solidão: aqueles que nos rodeavam não nos reconhecem mais e ainda não temos pessoas novas afinadas com quem nos tornamos.

Uma das coisas mais difíceis foi que eu me sentia totalmente sozinha! Minha família e meus amigos não aceitavam quem eu tinha me tornado e ficavam me pedindo para eu voltar ao meu "velho eu". Eu não tinha com quem conversar! Não tinha com quem dividir todas as descobertas tão valiosas para mim. Acabei me afastando de muita gente naquela época, foi bem doloroso! Foi um longo processo até eu fazer novos amigos, encontrar novos companheiros que tivessem a ver com a pessoa que eu tinha me tornado. – FERNANDA

Outro risco é sermos tomados por um desejo imenso de permanecer no estado de êxtase que a *bliss* proporcionou, e é preciso muita força de vontade para retornar à vida cotidiana, pois a *jornada* pressupõe essa volta!

Depois do retiro, levei três anos para voltar de fato. O mundo interno é tão mais rico que o externo! É mais estável, tranquilo. Por isso é tão difícil voltar... E, quando estava retornando, tive medo de não conseguir voltar ao mundo externo, de não conseguir trabalhar, ter uma vida comum, ir ao cinema. Fui saindo do recolhimento passo a passo. Eu tinha ido tanto para o céu que estava sem parâmetros para voltar à terra. Mas a gente vai aprendendo a colocar cercas e a estender os limites dessas cercas para proteger o espírito. – MONICA

Muitas vezes, a nova forma de viver com a *bliss* tem de ser construída pela própria pessoa, por tentativa e erro, pois as soluções já existentes não servem mais.

Quando cheguei de Findhorn, reuni um grupo pequeno de amigos e comecei a ensinar as 12 danças circulares que tinha aprendido lá. Percebi que precisava percorrer um caminho como autodidata. Não tenho treinamento em psicologia nem pedagogia, minha formação é em artes e eu nunca havia trabalhado com grupos. Então, tudo foi um abrir caminhos, uma aventura. Durante todos esses anos, passei por muitas oscilações, foi um sobe-desce, foi um trilhar mesmo, um pé depois do outro. – RENATA

A integridade entre nosso trabalho e a pessoa que nos tornamos deve ser buscada com grande persistência.

Eu tinha de inserir a dimensão espiritual em meu trabalho, não podia mais renegar isso! Afinal, aquilo era fundamental na minha visão da vida. Comecei a entender que a psique é muito mais que só personalidade, e dentro dessa crise deixei de dar aulas no Instituto Sedes Sapientiae. Resolvi ouvir minha alma. Foi quando conheci o trabalho do Pathwork, que é ao mesmo tempo sondagem psicológica e caminho espiritual. Finalmente encontrava uma estrutura teórica e uma metodologia que integravam a espiritualidade e o trabalho psicológico. – SANDRA

É possível que seja necessário mudar comportamentos, valores, atitudes.

Foi um turning point. *Foi o momento em que voltei a ter uma religião, que não tinha desde 1986. E uma religião diferente da outra, com menos dogmas, mas ao mesmo tempo muito mais*

rigorosa na conduta esperada. Em várias situações eu pensava: "Agora, como budista, como devo agir? Como é que eu, sem raspar a cabeça, sem ter só sete pertences, sem viver num monastério, vou conseguir não causar mal a nenhum ser e, mais do que isso, trazer benefícios a todos os seres?" Por ter escolhido ser budista eu precisei reorganizar todo o sentido das coisas. – SONIA

Outra dificuldade a ser enfrentada é encontrar um lugar onde a gente possa exercer o que aprendeu na *jornada*. Talvez ele nem exista, então é preciso "inventá-lo".

Eu queria um lugar onde eu pudesse dar aulas e falar o que penso, mas não uma escola, eu queria uma clínica de mediunidade. O centro espírita não sabe trabalhar isso sem a conotação religiosa, e na faculdade você não pode falar sobre mediunidade. Então, decidi não agradar a gregos nem a troianos. Decidi que eu era Maria Aparecida, que minha cabeça era livre, que eu ia estudar o que quisesse e trabalhar do jeito que bem entendesse. Só que não tinha onde trabalhar assim, porque no centro não pode, na igreja não pode, na faculdade não pode. Então na minha clínica pode. – CIDA

-> Ressignificado

Ressignificado é o que fazer a viagem ensinou ao viajante. Implica introspecção e reflexão na busca de uma nova visão sobre si, sobre o outro, sobre o mundo, sobre a morte e a vida. São os novos significados, a sabedoria adquirida! É quando se toma consciência da transformação interna advinda de todo o processo da *jornada*.

A minha serenidade é uma conquista. Eu não era assim; com o tempo é que fui ficando mais e mais serena. Mudei muito! Mantenho a mesma força, mas é equilibrada. Tenho me permitido falar mais sobre alma e amor sem ter receio de parecer piegas. E só quando estou "de bem" com a minha alma consigo manter o centramento necessário para poder ser leve e alegre, mesmo quando os problemas estão rondando. Considero que tudo que vivi até agora contribuiu para que eu chegasse nesse patamar da vida com um sentimento de preenchimento. – RENATA

A opinião dos outros passa a ter muito menos importância do que seguir o que a alma nos pede!

É engraçado! Sempre me preocupei com que os outros podiam pensar de mim e das minhas escolhas! E, depois de tudo que vivi, comecei a pensar: quem são esses OUTROS? Os outros são meus amigos, meus colegas, meus parentes, meus vizinhos? Eu não sabia o que responder! Vi que era uma abstração! Que me importava, realmente, o que outros pensavam de mim? Foi uma libertação! Isso não quer dizer que não estou "nem aí" para as outras pessoas, mas que o que mais me importa hoje é o que sinto e penso, o que quero e aquilo em que acredito! Hoje dou importância ao que, de fato, é importante! – VERA

Encontramos um novo centro dentro de nós mesmos, paradoxalmente mais humilde diante do grande mistério da vida porém mais equilibrado, menos sujeito aos tumultos cotidianos.

Sei que me tornei bem mais madura e calma. Aceito melhor a inevitabilidade das mudanças, a alternância de tempos luminosos ou mais som-

brios, sei que a vida é cíclica! E não é nem a favor ou contra mim: é só a vida! E que, mesmo que às vezes seja muito difícil, vou passar pelo que tiver de passar e sobreviver, até que a morte me alcance. A vida ficou mais leve. Sinto como se eu tivesse me pacificado e, talvez por isso, tivesse adquirido um novo prazer em viver! – LUZIA

Pode surgir a percepção que, de alguma forma, acessamos uma fonte de sabedoria ancestral.

A morte, para mim, é um tema recorrente. Acho que tenho de encontrar um lugar sagrado para esse fato. Mas não é um fato de um dia, é toda uma vida. Eu ainda não sou a Velha Sábia, mas me encaminho para ela. Eu me tornarei algo que ainda não sou, talvez possa revelar coisas que ainda não sei. Eu gostaria de ressignificar a vida e dignificar a morte na vida. Ainda não sou a Velha para saber tanto. Mas acho que me encaminho para isso... – ANA

Alcançamos um novo patamar de aceitação de nós mesmas, de nossas qualidades e de nossos defeitos: passamos a nos ver com mais compaixão.

Fiquei dez anos tentando trabalhar minha vitimidade, não fiquei parada nela. Eu transformei essa dor. Hoje, olho com profundo respeito para a mulher que fui. Que foi covarde, frágil, vulnerável ou dependente, não sei, mas tenho um profundo respeito por essa parte minha. Então, olho para ela e digo: "Neiva, eu te amo". É como se eu precisasse, ou ela precisasse, desse amor. Só que ela buscava no outro. Até que teve de mim esse amor. – NEIVA

E a maturidade alcançada pode trazer um enorme ganho emocional!

Eu olhei para a morte muito cedo! Aos 3 anos tive de encarar a morte. Perda da mãe, da pátria, da língua, perda de qualquer vínculo. Em qualquer espelho que eu olhasse eu não me reconhecia. Tive de buscar dentro da minha profundeza, precisei me espelhar em mim mesma. Tem uma solidão muito grande nisso, porque você não tem turma. Mas isso também me faz única, específica. Foi um processo de me reconhecer, e foi por etapas. Retrospectivamente, fui percebendo: sempre fui uma "velha sábia", só que não tinha ainda consciência disso. [...] Por isso fazer 50 anos foi tão bom! – MONIKA

Aceita-se a vida como foi e é: mais do que "vítimas" do destino, sentimo-nos protagonistas da nossa história!

Eu tenho 35 anos de cadeira, de jogar búzios para pessoas de todo tipo. Com todos os caminhos que trilhei, de onde eu vim, o que aconteceu e apesar dos medos disso, daquilo, eu sempre continuei no meu foco. Nasci para ser zeladora de orixás. Nunca tive dúvida, nunca. Sabe, quando isso está no Odu – no destino – existe uma palavra mágica: aceitação. Aceitar. Está no meu Odu e eu aceito, não é sacrifício nenhum. É prazeroso, entendeu? É com amor. – SOLANGE

E, embora toda *jornada* seja absolutamente individual, o que se aprende ao dizer SIM a nós mesmas fica muito próximo do que pregam as grandes tradições espirituais!

Hoje eu tenho mais compaixão e entendimento pelas nuanças do ser humano. Acredito num ser maior, acredito que sou como que "segurada", contida, por uma energia amorosa que tem a visão maior da minha vida. Vejo uma coisa de cocriação com o universo, com Deus! Estou aqui para aprender coisas e voltar para uma energia maior, como uma individualidade. Voltar a um todo, como uma singularidade dentro da unicidade. – BETTINA

E, muitas vezes, atingimos a sensação da vida como milagre e celebração!

Acho que hoje sou essa busca de ampliar aquilo que vivo, aquilo que sinto. Há dois anos eu sou avó e não encontro palavras para descrever o que sinto. Quando nasceu meu primeiro neto, no momento em que vi esse bebê, primeiro tive um choque, porque era o meu filho escrito, levei um susto. E aí me veio uma coisa muito forte: o milagre da vida.

> *Meu Deus do céu. Aquele serzinho, a perfeição, tudo. É o milagre. Percebe-se que há coisas muito boas para ser saboreadas e usufruídas nesta vida. Reconhecem-se esses milagres e aí tem muito sabor, o sabor da vida!* – ANDRÉE

-> Dádiva ao mundo

A dádiva ao mundo é o tesouro que o viajante descobriu e traz para compartilhar com todos. O desafio dessa etapa é construir, no sentido prático, essa dádiva, o "produto" que se vai oferecer aos outros, mas que também expresse a pessoa, sua *bliss* e sua *jornada*. Por isso, a dádiva pode levar muito tempo para ser construída e talvez demande forte dedicação.

> *Custou muito tempo, muito desgaste a construção do Teatro e Instituto Brincante. Primeiro cresceu a escola, porque não havia lugares que quisessem ensinar dança brasileira, porque dança brasileira na cultura oficial não existia, só se fosse samba. Essas outras danças – cavalo-marinho, caboclinho e outras – ninguém nem sabia o que era. Hoje as coisas mudaram*

e sei quanto a gente teve um papel nisso. Todas essas coisas foram construídas com muito trabalho, manualmente, pedrinha por pedrinha, mas sólidas. A gente nunca voltou para trás, nunca fizemos um trabalho que nos denegrisse. – ROSANE

Porém, sente-se que o que se encontrou é tão precioso que merece ser compartilhado.

Quando descobri a astrologia e seu poder como linguagem simbólica sobre a individualidade, tive vontade de contar para todo mundo! Vontade de que todos a empregassem para entender nossas diferenças. Para se conhecerem melhor, conhecer seus companheiros ou companheiras, filhos, amigos... Eu via nessa ferramenta uma forma fantástica de promover uma troca maior e mais harmônica entre as pessoas e queria que muito mais gente a usasse para isso também! – MÁRCIA

Quem voltou de uma *jornada* dessas sente que, de alguma forma, precisa retribuir tudo que recebeu.

Eu sinto que recebi muito, tive o privilégio de conhecer a psicossíntese e quero, de certa forma, com este centro retribuir. Aqui é o meu consultório e todo o restante da casa é o Centro de Psicossíntese de São Paulo. Quero que ele continue comigo ou "sem migo", porque se ele não continuar "sem migo" não serviu de nada. Não é para mim. Então estou formando as pessoas como multiplicadores. É isto que quero: que este centro caminhe de fato sozinho. O mundo está precisando. A jornada tem muito esse sentido – ANDRÉE

E uma das principais dádivas que a pessoa pode oferecer é o fato de ela mesma ter feito a *jornada* e, por isso, conhecer os caminhos e orientar e inspirar os outros.

Hoje vivo cercada por muitos jovens. Eles dizem que se sentem à vontade comigo, que podem se abrir, porque sentem que não vão ser julgados e, ao mesmo tempo, podem expor dúvidas e medos. Acho que isso acontece porque hoje, depois de tudo que vivi, sei que viver com plenitude não é tarefa fácil: exige caráter, coragem, integridade e também vulnerabilidade e aceitação. Sinto que ter feito meu caminho me ajuda a compreender melhor o dos outros. – LUZIA

A dádiva tem de estar plenamente ajustada a quem a pessoa se tornou!

As pessoas me dizem que parece não existir separação entre o que sou e meu trabalho: é como se fôssemos uma coisa só. E que é por isso que transmito tanta verdade no que digo e faço, e que daí vem a força do meu trabalho. Acho que hoje as pessoas estão em busca de gente que traga essa qualidade de integridade entre o que vive dentro e o que vive fora! – AMALIA

E essa dádiva para o mundo não é estática: ela vai sempre se aprofundando, se expandindo, se transformando.

Minha dádiva para o mundo são meus vários trabalhos com dança, mito e imagem. No meu espaço de dança com minhas alunas, nos cursos de cinema e mito que ministro no Espaço Unibanco de Cinema, com professores do colégio Santa

Maria, na coordenação das Roundtables Mitológicas de São Paulo e onde mais eu puder compartilhar, contaminar, disseminar, evocar, provocar as pessoas para que conheçam o poder e a força para a vida dos mitos, dos ritos, da dança, das imagens, da arte. – ANA

5. Apreciando o panorama: olhar a vida como uma jornada

Lá atrás, começamos a viagem pela mandala. Caminhamos, caminhamos, e agora estamos no ponto onde começamos: no mundo cotidiano. Agora, olhando para a mandala, você pode se perguntar: terei de recomeçar a **mesma** *jornada*? Passar outra vez pelo chamado, pela recusa, pela travessia do primeiro limiar...

Parece uma repetição, mas pense bem: você estará no mesmo lugar? Algum viajante, de fato, volta para o mesmo lugar de onde saiu? Se você voltar para sua velha casa, que lembrava tão grande, não a achará pequena demais? Sua cidade ainda terá as ruas onde você brincava na infância? Além disso, esse viajante é o mesmo que partiu? Depois da imensa expansão e conhecimento que o caminho trouxe, quem é a pessoa que volta?

Quando voltei para o Brasil, meus amigos da Fundação Getulio Vargas estavam todos com emprego, eram gerentes disso, gerentes daquilo, estavam casados e com filhos. De certa forma, rompi com meu grupo, porque eles estavam seguindo um caminho muito diferente do meu! Eu estava com uma bagagem enorme, com uma visão de mundo grande, com uma cabeça diferente. – BETTINA

Por isso, em muitas tradições espirituais, os iniciados (como as freiras católicas e os budistas tibetanos) recebem um novo nome. Se não estamos paralisados, se de fato estamos em *jornada* – o que também significa estar *em mudança* –, talvez devêssemos receber um novo nome a cada dia que começa.

Então, antes de recomeçar a caminhada, vamos fazer uma pausa no centro da mandala para conhecer o novo EU que está lá, a renovada mocinha ruiva em redor de quem tudo gira. Como disse o monge zen Bashô, a viagem mais para fora é a viagem mais para dentro.

Decidi que, realmente, o maior desafio da minha vida era descobrir quem eu era. Era a minha meta: descobrir o que vim fazer neste mundo.

> *Então começou outra jornada, novamente para dentro, mas agora com lanterna!* – NEIVA

E é isso mesmo que esse mito tem a nos ensinar: perceber nosso caminhar na vida como uma busca heroica do que somos e, portanto, do que viemos fazer neste mundo e para ele.

É uma busca que nunca se esgota, pois a cada volta na mandala aprofundamos e ampliamos quem somos. As setas ao lado da mandala, além de girar no sentido anti-horário, estão aí para mostrar que, na verdade, ela é uma espiral.

Ver a vida dessa perspectiva mítica pode nos dar sentido e significado, coisas que o pensamento racional não proporciona.

> *Se eu ficar sempre no racional, no intelectual, não vou ter resposta de por que vivo, pois não tem um porquê intelectual para isso, não tem resposta. Racionalmente não faz sentido, eu posso morrer agora, posso morrer daqui a 30 anos e é sempre o acorda-dorme, acorda-dorme, acorda-dorme. Mas de repente vem um momento de revelação e vem o assombro. Foram poucos, mas decisivos, os momentos como esse. A com-*

preensão racional foi superimportante, mas até a hora da revelação, do se dar conta, do "ah!", do tocar o mistério! – SONIA

Depois de viver coisas assim, a heroína da *jornada* não vai mais se adaptar a papéis padronizados e a metas da sociedade de massa, que estimulam a alienação, o materialismo, a competitividade e o autoritarismo. Seus valores serão outros.

Na verdade, eu começava a duvidar desse caminho no qual sua única meta é alcançar sucesso. Como resumi na época: a vida não é só trabalhar, ganhar dinheiro, gastar dinheiro. A morte do meu pai deixou isso claro. Pensei: a vida não é isso, deve ter algo mais. – ANA

E esse *algo mais* será uma descoberta muito pessoal, porque a cada um cabe fazer a própria *jornada*. Algumas pessoas torcem o nariz quando ouvem essa frase, pois confundem individualismo com individualidade.

Segundo o dicionário, individualismo é uma "teoria que privilegia o indivíduo em detrimento da sociedade". Já individualidade é o "conjunto de atributos que constitui a originalidade, a unicidade de alguém ou de algo". Portanto, não deve ser associado a egoísmo, egocentrismo, misantropia, cada um por si.

> *O essencial é o que eu preciso fazer, o que se eu não fizer ninguém vai fazer no meu lugar. Aí sou eu, aí eu sou diferente, e ninguém é igual a ninguém. É que a gente vive numa danada de uma sociedade que funciona muito melhor se as pessoas vestirem as mesmas roupas, comerem as mesmas comidas. Mas isso não é orgânico no ser humano; o orgânico é a diferença, o orgânico é você ser o que ninguém mais é. Aí você acrescenta no contexto, aí você faz diferença.*
> – *ROSANE*

Essa atitude faz diferença e melhora o mundo, pois honrar e respeitar a própria busca heroica nos leva a respeitar as buscas dos outros, ainda que sejam completamente diferentes das nossas. A noção de que todos somos potencialmente heróis e de que temos algo de único e especial não combina com sistemas hierárquicos nem com discriminações de qualquer tipo.

Além disso, como vimos na etapa da dádiva para o mundo, aquilo que cada herói conquista é para todos e por todos.

Estas ideias podem ser compreendidas e postas em prática porque se baseiam em algo que é ao mesmo tempo pessoal e universal. A *jornada do herói* não é uma criação ou uma invenção, e sim uma revelação resultante das pesquisas de Joseph Campbell. Ela não se refere a um só povo ou país, mas está presente no mundo inteiro. É um dos grandes mitos da humanidade, fonte da qual todos bebemos e nos beneficiamos. Reside no coração de cada um de nós; para que aflore, basta lhe darmos espaço.

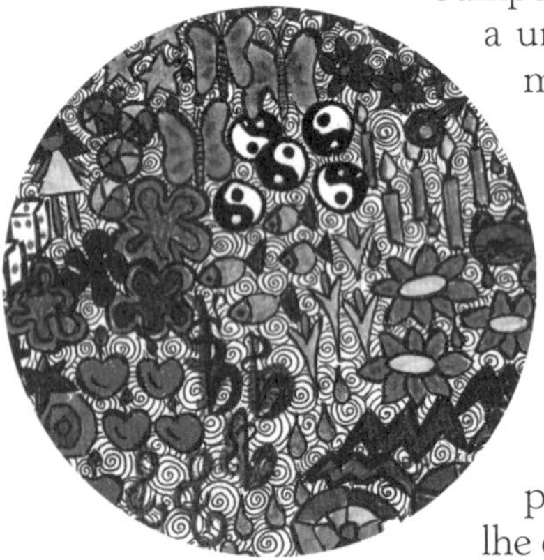

6. Outras maneiras de viajar: o modo feminino e o modo do fluxo

*O modo feminino

Quando pensamos na palavra *herói*, a imagem que surge é a de um caubói cavalgando solitário ao pôr do sol, ou a de um espadachim lutando contra 12 inimigos para salvar a princesa, ou a de um super-herói que, sempre sozinho, salva o planeta...

Não é esse o tipo de imagem que aparece nas histórias de heroínas. Enquanto os homens partem sozinhos para a luta, deixando tudo para trás, as mulheres tendem a levar junto amores, filhos, amigos, cachorros, papagaios... Elas mantêm e/ou criam mais vínculos, trocas e cooperação e integração com seu ambiente. Diferentes pessoas, circunstâncias e acontecimentos vão se somando de tal modo que, em muitas histórias de heroínas, não se destaca uma só mulher, mas várias.

Eu encontrei muitas "irmãs" na vida, que me ajudaram de diversas formas na minha caminhada. São aliadas, que me ajudaram no aprendizado[...] Queria cuidar dos meus filhos, queria fazer tudo muito bem-feitinho, mas eu também queria cuidar de mim, precisava também[...] Eu fui uma mãe muito presente, apesar de estudar e trabalhar[...] – ANDRÉE

Menos focada do que a masculina, a trajetória feminina parece não se desenrolar de forma linear. Lembra mais aqueles círculos que se formam ao jogarmos uma pedra na água, que vão se ampliando, multiplicando e diluindo até se reintegrar completamente ao meio líquido.

Então, uma boa imagem para a *jornada* de uma mulher pode ser a da tapeçaria tecida por múltiplas mãos... Ou aquelas antigas colchas de retalhos, nas quais as comadres teciam, costuravam e emendavam coisas diferentes.

Foi assim que fizemos nosso livro: ele é fruto de nossa amizade e parceria, da generosa fala de nossas entrevistadas e de outras pessoas que foram se integrando ao projeto.

Nunca, na minha vida, me senti tanto fazendo parte de um universo feminino tão acolhedor, aconchegante, encantado. Não sei se, no fundo, não tenho a fantasia de pertencer a uma irmandade feminina (talvez a um imenso harém sem sultão) onde se criem filhos, se teça, se faça arte, artesanato e se compartilhem histórias. Acho que isso vem também por causa de meus 25 anos vivendo dentro de corporações tão fortemente patriarcais...
– CRISTINA

É bom esclarecer que não estamos nos referindo a homens e mulheres concretos, e sim à energia feminina e masculina, aos princípios *yin* e *yang*. Nossa referência é simbólica e não sexista. Muitas mulheres adotam e reforçam os padrões patriarcais vigentes, assim como muitos homens os contestam.

Além disso, o problema não é tanto o padrão em si; a predominância dele é que forçosamente traz desequilíbrio. Então, acreditamos que podemos fazer a *jornada* de outra maneira, tendo a liberdade de experimentar a outra polaridade – *yin* – do possível. Assim tecemos nossa parte da colcha e ampliamos a consciência do mundo.

> *Certa vez, sonhei que todos éramos retalhinhos de uma grande obra, cada qual uma paisagem completa em si mesma e ao mesmo tempo complemento de outra maior. Estendida na parede infinita, formava uma espécie de mapa vivo, alegre de ver, um tanto confuso, nada discreto: uma colcha de retalhos onde todos nós brincamos de existir. – BEATRIZ*

*O modo do fluxo (do rio...)

Começamos a estudar, pesquisar e a fazer as entrevistas para o livro sem clareza quanto a metas, prazos, expectativas, motivos. Simplesmente nos apaixonamos pelo assunto, depois pela história de cada entrevistada e finalmente pelo processo em si.

A cada passo tivemos uma surpresa, tanto com os fatos externos quanto com o que acontecia dentro de nós. Mas nem todas as surpresas trouxeram satisfação. Por exemplo, depois de dois anos, de repente deu um branco. Empacamos. Não conseguíamos continuar e não entendíamos o que estava acontecendo.

> *Não sei se é meu olhar de arquiteta, mas para mim esse trabalho parece ser um lugar: uma entidade-lugar, que tem zonas sombreadas, luminosas, desérticas. Acho que criamos um espaço, quase independente de nós duas, que precisa de nossa energia e nos fornece energia. E, naquela hora, estávamos atravessando um deserto...* – BEATRIZ

Embora com certa angústia, sentimos que não havia outra coisa a fazer a não ser aceitar o fato e caminhar por esse deserto. Assim, não tentamos forçar a continuidade do trabalho, embora essa seca caminhada tenha durado vários meses.

Certo dia, consultamos o *I Ching* perguntando o que fazer. Saiu um hexagrama que se refere à criação e à arte. Uma dica primeiro incompreensível... Até que a Beatriz olhou uma das histórias das entrevistadas e a viu como ficção, na forma de um conto de fadas. Escreveu esse conto, mandou-o à Cristina, que o desenhou – e a seguir lembrou-se de um sonho que era a metáfora perfeita do livro que faziam.

E... pronto! O trabalho ganhou vida de novo, agora mais forte e depurado. De forma quase mágica, em pouco tempo estava concluído e o livro, editado. Percebemos descrições semelhantes em várias narrativas das entrevistadas.

> *Eu nunca pensei em escrever, foi vindo. Como sempre, as coisas chegam na minha vida de forma intuitiva... Quando você puxa a energia para um espaço, a energia se organiza. Essa é a minha experiência. Se você coloca um tempo, a coisa acontece dentro desse tempo. – MONIKA*

Parece que, ao nos colocarmos "à disposição", passamos a perceber que um processo invisível ocorre por trás do processo visível. É como um fluxo sutil, de vez em quando até óbvio, às vezes prazeroso e outras exasperante, que provoca certa insegurança e grande criatividade.

Isso é a coisa do palco... mas eu gosto! É essa possibilidade de sair disso aqui, do mundinho, do físico. A possibilidade da transcendência, de sair desse seu corpo e se colocar a serviço de outras coisas, de outros estágios de consciência, de outra vivência física, de outro aspecto. Colocar o seu rosto, colocar-se a serviço de outro temperamento, transformar a realidade. – ROSANE

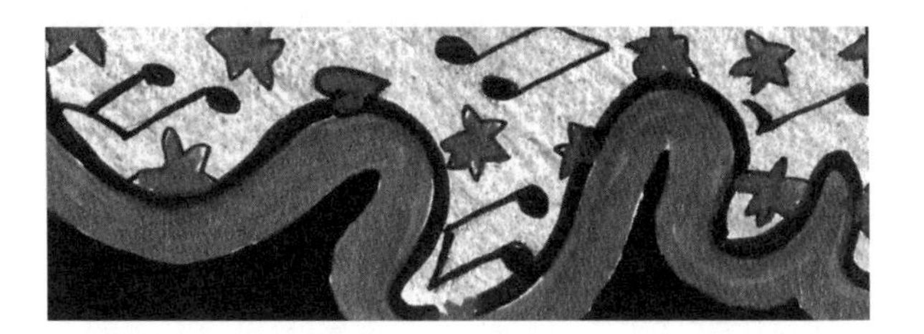

Não é possível explicar esse fluxo, parte do grande mistério que no máximo tateamos, pequenos que somos. Mas podemos dizer o que ele não é: não é impulso e desejo; não depende de esforço (mesmo que exija dedicação); não é compreensão racional nem fé cega.

Ao contrário, para percebê-lo não podemos nos deixar cegar pelos preconceitos, mesmo os científicos, tendo uma tola fé nas verdades "absolutas" da época. É preciso abrir bem os olhos para ver as dicas dos oráculos (como as que nos deu o *I Ching*), as coincidências, as sincronicidades, os *insights*, os sonhos, as vias convencionais e as não convencionais dos sentidos.

> *O alinhamento e a sincronicidade acontecem se eu me permitir me alinhar com essa energia, se eu me abrir a essa colaboração, ou cooperação, e não achar que tenho de definir tudo só com a cabeça. É quando me permito me harmonizar, me sintonizar, perguntar: "Qual é a minha vontade, qual é a vontade do universo? Como estou servindo essa energia? Como estou servindo o universo?"*
> – *BETTINA*

Também não podemos nos deixar levar por uma política de resultados. Não é porque algo é dolorido, o processo está lento ou a proposta não vingou que aquilo não deu certo. Há guardiões nos portais; paga-se um preço para entrar em novos e emocionantes territórios. Mas, superado o guardião, a recompensa virá. E é grande!

Assim como na *bliss*, no processo de seguir o fluxo ocorre uma mistura entre a vida concreta e os temas que estamos abordando. No nosso caso, a criação do livro e nossas circunstâncias pessoais da época seguiram todos os passos de seu tema, a *jornada do herói*: tivemos a ruptura, a iniciação, o retorno. Vivemos na pele o assunto de que tratávamos.

> *Em um ano perdi minha mãe, comecei uma nova profissão, vendi uma casa, comprei outra, minha filha se casou, pela primeira vez passei a morar sozinha. Foi muita coisa! Com a Bia, não foi muito diferente. E no meio disso havia este trabalho, que para nós duas tem tanta importância e, pelo visto, não obedece às nossas "ordens", parece que tem ideias próprias. Talvez ele não esteja sendo tecido com o nosso intelecto, mas com a nossa alma. E como a alma tem sabedoria*

própria... Como disse a Ana quando contamos o que estava acontecendo conosco: "Mas vocês começaram a fazer essa jornada e acharam que tudo ia ficar como antes?" – CRISTINA

Mas, conscientemente coerentes ou não, no final parece que fazemos o que somos e acabamos sendo o que mais fazemos. O caminho nos molda tanto quanto nós moldamos o caminho.

Ah, aí eu descobri minha verve de expressão. As ouvintes eram só mulheres deprimidas. E, porque era o que eu sabia, eu falei de depressão, e foi o maior ibope do mundo. E elas começaram a vir para o consultório, e eu comecei a atender só mulheres deprimidas. Eu atendia muitas delas quase de graça, porque eram pessoas que vinham por causa do programa do rádio e eu estava começando. Acabara de me formar e já tinha o consultório cheio só com deprimidas. E eu deprimida. Era o consultório perfeito. – NEIVA

Ampliando essa ideia, Jung disse que aquilo que procuramos também nos procura. Isso faz pensar se esse fluxo não está presente desde lá atrás, desde quando começamos a *jornada*, antes de termos muita consciência até de nós mesmos.

> *Desde menina eu tinha muita intuição, de certa forma já vivenciava o mundo do não visto, dessa coisa do Tao que é invisível, inaudível. Sempre busquei isso; adorava ficar de olhos fechados, deitada, desligada... Acho que sempre fui mais céu...* – JERUSHA

Enfim, no modo do fluxo nós **sabemos** que navegamos sobre o mistério, mesmo sem noção da profundidade da água que nos sustenta. Então, é bom que tenhamos a flexibilidade de um marinheiro, sempre atento às mudanças do rio.

*Tudo junto agora

Normalmente, viajamos pela vida pela via da razão e da emoção. Se acrescentarmos a elas o modo feminino, teceremos uma aconchegante colcha para nos aquecer nos dias frios, e se seguirmos o modo do fluxo, aproveitaremos o movimento das marés em vez de lutar contra elas. Isso pode nos proporcionar *jornadas* mais fáceis, amorosas, plenas e belas.

> *Eu não me preocupo muito se é alguma coisa que veio do meu eu profundo ou de outro ser. Transfiro isso para minha consciência, que peneira o que funciona. Se funcionar, vamos adiante.* – CIDA

7. Retomando a estrada: a jornada continua

Bom, agora que sentimos um ventinho no rosto e um cheiro de rio, é hora de retomar a viagem.

Quando concluímos uma *jornada*, novos chamados são recebidos, outros limiares precisam ser ultrapassados, há que se enfrentar novas situações-limite, descobrem-se novas facetas da *bliss*, ressignificam-se outros episódios vividos, amplia-se a dádiva... E o processo cada vez vai se aprofundando mais.

> *Tudo isso me levou a uma parada, a uma nova crise para, assim espero, um novo começo. Quero incluir todo o vivido nesses últimos anos. Incluir o encontro do diferente e das diferenças. Busco uma síntese do meu trabalho que inclua a cura através do caminho das artes, dos ciclos e estações; cura através do olhar feminino no mundo. Busco, busco, busco... – ANA*

Nas palavras de Campbell, "o que julgo ser uma boa vida é aquela com uma *jornada do herói* após a outra. Você é chamado diversas vezes para o domínio da aventura, para novos horizontes. Cada vez surge o mesmo problema: devo ser ousado? Se você ousar, os perigos estarão lá, assim como a ajuda e a realização ou o fiasco. Existe sempre a possibilidade do fiasco. Mas existe também a possibilidade da *bliss*".

Sou uma buscadora. E, como buscadora, acho que nunca vou conseguir dizer: "Ah, cheguei!" Eu me vejo sempre buscando. – SANDRA

A vida, para quem está de fato vivo, não para: é processo, mudança, amadurecimento, aprofundamento, transformação. É *jornada*!

8. Regulando a bússola: quem são as mulheres dessa jornada

As entrevistadas no livro *O feminino e o sagrado:*

Ana Figueiredo
Andrée Samuel
Bettina Jespersen
Heloisa Paternostro
Jerusha Chang
Maria Aparecida Martins (Cida)
Monica Jurado
Monika von Koss
Neiva Bohnenberger
Regina Figueiredo
Renata C. Lima Ramos
Rosane Almeida
Sandra Sofiati
Solange Buonocore
Soninha Francine (Sonia)

* As autoras

Beatriz Del Picchia, arquiteta, dedica-se também às áreas de mitologia e literatura e escreve crônicas na internet. É uma das coautoras dos livros *Circunvago* (Demônio Negro, 2008), *Mundo Mundano e os quatro cantos do mundo* (Prólogo Editorial, 2010) e *Mundo Mundano e seu novo mundo* (Prólogo Editorial, 2011).

Cristina Balieiro é psicóloga, psicoterapeuta junguiana e orientadora de círculos de mulheres. Estuda a obra de Joseph Campbell, bem como a mitologia e as questões do feminino.

Juntas lançaram em 2010 o livro *O feminino e o sagrado – Mulheres na jornada do herói* (Ágora) e criaram e mantêm o blog http://ofemininoeo-sagrado.blogspot.com.

* Outras colaboradoras

As outras mulheres cujas falas são citadas aqui são parentes, amigas, pacientes e leitoras que generosamente aceitaram compartilhar trechos das suas *jornadas*.

* Bibliografia

CAMPBELL, Joseph. *O poder do mito*. São Paulo: Palas Athena, 1990.

______. *O herói de mil faces*. São Paulo: Pensamento, 1992.

______. *Mito e transformação*. São Paulo: Ágora; 2008.

COUSINEAU, Phil (org.). *A jornada do herói: Joseph Campbell – Vida e obra*. São Paulo: Ágora, 2003.

DEL PICCHIA, Beatriz; BALIEIRO, Cristina. *O feminino e o sagrado – Mulheres na jornada do herói*. São Paulo: Ágora, 2010.

DICIONÁRIO HOUAISS DA LÍNGUA PORTUGUESA. 1. ed. Rio de Janeiro: Objetiva, 2001, p. 1606.

Leia também

A JORNADA DO HERÓI
JOSEPH CAMPBELL – VIDA E OBRA
Phil Cousineau

Obra das mais queridas dos fãs de Joseph Campbell no mundo todo, traz entrevistas dos últimos anos de sua vida e trechos de suas palestras. O texto caminha explicando simultaneamente o processo da jornada e a vida de Campbell. Generosamente ilustrado, com fotos e reproduções de arte, este livro comemora o centenário de Campbell proporcionando prazer a todos os sentidos.

REF. 20823 ISBN 978-85-7183-823-9

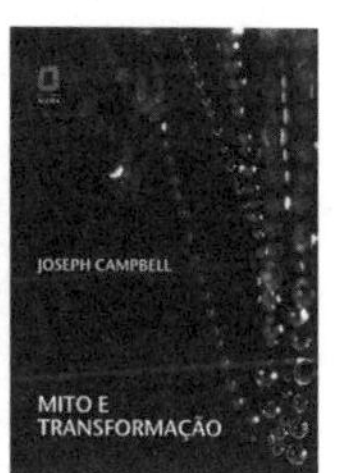

MITO E TRANSFORMAÇÃO
Joseph Campbell

Este livro traz textos inéditos de Campbell, enfatizando especialmente os aspectos pessoais e psicológicos da questão do mito. Reunindo seu magnífico dom de contar histórias ao seu profundo conhecimento de arte, história e psicologia, ele traça conexões entre símbolos arcaicos, arte moderna, esquizofrenia e jornada do herói. O objetivo é revelar o modo como o mito ajuda a identificar o caminho pessoal de cada um.

REF. 20008 ISBN 978-85-7183-008-0

Leia também

O FEMININO E O SAGRADO
MULHERES NA JORNADA DO HERÓI
Cristina Balieiro e Beatriz Del Picchia

Neste livro estão guardadas histórias de vida de 15 mulheres diferentes. Em suas páginas, elas sussurram, cantam e dançam, sem medos nem pudores. Seus depoimentos são como relatos de viagens, nos quais falam de caminhos percorridos, obstáculos e superações. Com base nesses relatos, Cristina Balieiro e Beatriz Del Picchia organizaram uma obra sensível e profunda, capaz de inspirar mulheres (e homens também) a questionar-se a respeito dos próprios caminhos. O fio que liga as histórias é a análise de Joseph Campbell a respeito da jornada do herói. Transpondo essa análise para uma perspectiva feminina, as organizadoras mostram que é possível a uma mulher mudar completamente e ficar ainda mais próxima de si mesma.

REF. 20071 ISBN 978-85-7183-071-4

www.gruposummus.com.br

- - - - - - - - - - - dobre aqui - - - - - - - - - - - - - - -

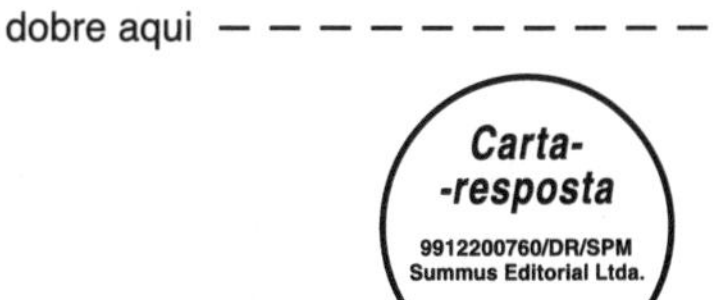

CARTA-RESPOSTA

NÃO É NECESSÁRIO SELAR

O SELO SERÁ PAGO POR

AVENIDA DUQUE DE CAXIAS

14-999 São Paulo/SP

- - - - - - - - - - - dobre aqui - - - - - - - - - - - - - - -

CADASTRO PARA MALA DIRETA

Recorte ou reproduza esta ficha de cadastro, envie completamente preenchida por correio ou fax e receba informações atualizadas sobre nossos livros.

Nome: ______ Empresa: ______
Endereço: ☐ Res. ☐ Coml. ______ Bairro: ______
CEP: ______ - ______ Cidade: ______ Estado: ______ Tel.: ( ) ______
Fax: ( ) ______ E-mail: ______ Data de nascimento: ______
Profissão: ______ Professor? ☐ Sim ☐ Não Disciplina: ______

1. Você compra livros:
☐ Livrarias ☐ Feiras
☐ Telefone ☐ Correios
☐ Internet ☐ Outros. Especificar: ______

2. Onde você comprou este livro?
______

3. Você busca informações para adquirir livros por meio de:
☐ Jornais ☐ Amigos
☐ Revistas ☐ Internet
☐ Professores ☐ Outros. Especificar: ______

4. Áreas de interesse:
☐ Psicologia ☐ Comportamento
☐ Crescimento interior ☐ Saúde
☐ Astrologia ☐ Vivências, Depoimentos

5. Nestas áreas, alguma sugestão para novos títulos?
______
______

6. Gostaria de receber o catálogo da editora? ☐ Sim ☐ Não
7. Gostaria de receber o Ágora Notícias? ☐ Sim ☐ Não

cole aqui

Indique um amigo que gostaria de receber a nossa mala-direta.

Nome: ______ Empresa: ______
Endereço: ☐ Res. ☐ Coml. ______ Bairro: ______
CEP: ______ - ______ Cidade: ______ Estado: ______ Tel.: ( ) ______
Fax: ( ) ______ E-mail: ______ Data de nascimento: ______
Profissão: ______ Professor? ☐ Sim ☐ Não Disciplina: ______

Editora Ágora
Rua Itapicuru, 613 7º andar 05006-000 São Paulo - SP Brasil Tel.: (11) 3872-3322 Fax: (11) 3872-7476
Internet: http://www.summus.com.br e-mail: summus@summus.com.br